障害をのりこえて

僕の青春

山根　昇
Yamane Noboru

石風社

山根昇と出会って40年余の歳月――まえがきにかえて

継母　山根久子

令和3年から40年余りも昔になりましたが、私が未だ保育園に在職中の8月に、縁あって昇の父親を紹介されました。一度は辞退したのですが、父親は50歳の会社員、長男昇は19歳、次男は15歳の高1で、私は43歳で初めての主婦となりました。約半年後転居に伴い、67歳の実母も同居してくれました。

昇は6歳当時、麻疹を患い高熱で20日間意識不明だったと聞き、幼少期は多動で家庭でも通学先でも大変だったようです。次男は4歳下で両親のご苦労が偲ばれました。

27年程以前のことですが、ＮＨＫ厚生文化事業団より第28回心身障害福祉賞の募集要項が送られてきました。昇を励まして体験記を応募しておりましたところ、図らずも優秀賞を賜りました。本書は、昇がもっとも幸せだった時期の文章を中心に構成しております。

障害をのりこえて——僕の青春◉目次

常に喜べ
たえず祈れ
どんなことにも
感謝せよ

テサロニケ前書

障害をのりこえて——僕の青春

山根　昇

奈良ハイキングクラブの皆さんと毎年1回6月に生駒山のクリーンハイクに参加できるようになった。拾い集めたゴミを担当者に計ってもらっている。

昭和41年10月。10月4日生まれの著者6歳時の、
麻疹に罹る前の写真（右）

こどものとき

僕は幼稚園の時、はしかにかかって病院に入院していました。20日間もいしき不明だったそうです。頭のけんさもしてもらいました。ことばがうまく言えなくて病気をしていました。

小学校の時、本がよめなくて怒られた。音楽の時間に歌をうたったのは、楽しかった。笛はにがてだった。プールもにがてだったけれどがんばりました。

給食でいろんな食べ物を作ってもらっておいしかった。

むしばがあって、はをぬいた痛いいやな思いでもあります。

運動会で早く走れなかった。ソフトボールの試合に出て負けたけれど、おうえんしてもらってよかった。

友達といっしょにいろんなことをして遊んだ。かくれんぼとかドッチボールもみんなと楽しくやりました。

池田の団地で家の中でプラモデルをしたり、お父さんと一緒にキャッチボールをしたことが楽しかった。

僕と弟の浩とお父さんとお母さんと一緒にいろんな所へ行きました。万博や遊園地で乗り物に乗りました。夏の高校野球も見に行きました。米子へ遊びに行って海で泳いだり、すきやきをして食べたことはとても楽しかったです。そして民宿に泊まりました。雨が多く降って雷がなっていました。そこから海を見ていました。

阪急まで行っていろんな物を見たり、楽しく買い物をして4人で食事をしてよかった。浩と一緒に野球のば《マ》ったー《マ》を買いに行きました。一緒にキャッチボールをしてすごした日は思いでになります。

著者のアルバムより（左）。男山第２中学生の頃

中学校の野球部

家は池田の団地から樟葉《くずは》の団地へ、引っ越しました。僕は男山第2中学1年生になって野球部にはいりました。

グランドのせいびや石ひろいは少ししんどかった。グランドを何回も走ったり雨の降った日は素振りとか腹筋運動、腕立て伏せもやりました。1年生の時は球拾いで、練習の時うまく出来た時は楽しかったです。ユニホームがどろどろになって家に帰りました。仲間のみんなは良い人でうれしかったです。

1年生の時は郡大会で2試合をして負けました。とても悔しかった。夏の暑い日、1年生と2年生で苦しい練習をしました。とてもしんどく感じました。冬は走り込みを重点的にし、5キロ位走った。

2年生の時は郡大会で優勝して山城大会で負けてしまいました。本当に悔しかったです。3年生の時は郡大会で勝ち、山城大会で優勝できました。全員で記念写真をとりました。大きくパネルにしてもらって、今も僕の部屋にかけています。僕の宝物です。

3年間の野球部のおかげで、僕はだいぶ鍛えられました。

先生や友達に感謝しています。そして今でも野球が大好きです。

家ではお父さんとお母さんが阪神ファンで僕は巨人です。

桃山養護学校

僕は中学校を卒業して桃山養護学校へ行きました。障害の重い人や軽い人がいて、小学部、中学部、高等部と3つに分かれていました。活動もいろいろありました。どんな仕事が出来るか、考えました。キャンプにも行って楽しかったです。テントの立て方や料理でカレーを作って、おいしく食べられたことをありがたく思っています。

3年間で1番楽しかったことは、仲間とよく話をしたことや野球が出来たことです。僕はショウトを守っていました。打つほうは5番ぐらいでした。体育祭でよく活動しました。

修学旅行では楽しい思い出がいっぱいあります。

いろんな先生にお世話になってとても感謝しています。

僕はあまり勉強は出来なかったけれど、よくがんばれたほうだと思います。

僕の本当のお母さん

とても悲しいことがありました。

僕が養護学校の1年目の九月にお母さんの病気が重くなって入院しました。米子からおじいちゃんが出て来て、僕たちのめんどうをみてくれました。浩はその時小学校6年生でした。

お父さんは毎日、会社と病院へ行きました。

お母さんは3回も病院をかわって、東京にも入院してぼくたちはその間さびしかったです。そして僕が3年生の3月にお母さんは亡くなりました。僕も浩も泣きました。お母さんはがんの病気だったのです。僕が小さい時、病気のころいろんなめんどうをみて

実母・和子と著者

くれて、本当にありがとう。今感じることは今まで元気で過ごせて、ありがたいことです。17年間お世話になってありがとうございます。

おいしいお弁当も作ってくれて、ありがとうございました。

初めての仕事

養護学校から就職の話がありT機材へ就職しました。樟葉《くずは》から電車で淀に行って、そこからバスに乗って行きました。

仕事は建設現場の足場の鉄のパイプを運んだり、汚れたパイプをきれいにすることでした。運ぶのはとても重くて辛く感じました。汚れをとるのがうまく出来なかった。

草刈りもやらされてしんどかった。

暑くなって仕事はかなりきつく、いつもしんどかった。

仕事の服は毎日汚れておじいちゃんは、洗濯機で洗ってもたいへんだと言っていました。

仕事場の仲間とけんかをして石を投げられました。

左から船会社に勤務していた父親、継母の恩師であるシスター、エレクトーンの生徒Mちゃん、継母、20歳の頃の著者

お父さんはそこの社長に呼ばれて僕は8月にそこをやめました。

そのころ僕はお母さんが死んだばかりで、体が弱くて発作もよくおこしていました。もう少し体力をつけておくべきだったと思います。あいさつとかことばづかいも注意しなければいけなかったと思います。T機材はとても辛い思い出が多かった。

次の仕事——金紙工場

お父さんは八幡市役所の福祉課へ行って、僕の次の仕事がみつかりました。Mスリッターです。働いている人は5人か6人ぐらいで、僕の仕事は大きな金紙を荷造りすることでした。

10月からバスに乗って30分ぐらいで行けました。はじめ3カ月ぐらい僕はガムテープがうまくはれなかったので、いつも大将が教えてくれました。

4月からお父さんは結婚して新しいお母さんが来ました。

おじいちゃんは米子へ帰りました。僕は浩と約束したので、お母さんと呼ばずに、おばさん、と呼んでいました。おばさんは工場にあいさつに来てくれて、僕の仕事も見て

金紙工場の皆さんと

いました。

ホットケーキがおいしかったので毎朝食べて、お弁当も作ってもらってておいしかった。5月になって、工場のおくさんが、お母さんと呼びなさいと言ってくれました。はじめ少し恥ずかしかったけれど、お母さん、と呼べるようになってうれしかったです。

仕事はパックのほかに重い荷物を運んだり、運送屋さんの手伝いもしました。草ひきとかダンボールのかたずける仕事は少しいやだったけれどがんばりました。パックの仕事は、

Sちゃんとペアでしていました。待ち時間があって、休める時もあってよかったです。楽しかった思い出は、みんな良い人でした。ときどきコーヒーと、食事に行って話したり忘年会にも行きました。

特にご主人とおくさんも一緒にみんなと旅行に行けてよかったです。

10月から家が引っ越して遠くなり、1時間10分位で電車とバスで行きました。仕事が無くなるまで十年間近く、行きました。

友達もできて楽しかったです。

新しい家

2番目のお母さんとおばあちゃんが、一生懸命働いたお金で土地を買ってくれました。お父さんは借金をして家を建てました。2階があっておばあちゃんと僕と浩の部屋は上でした。浩は高校生になって奈良県の高校の寮に入り休みの日だけ帰ってきました。

おばあちゃんは教会の神父様のまかないの仕事に行っていました。

引っ越しをした次の年は日曜日になると、お父さんやお母さんのお客が来て、一緒に食事をしました。僕はいろんな人と話すのが楽しくなりました。はじめの頃は友達がいなくて淋しかったです。

山登りで仲間の人達に会えて良かったです。

新居の祝別式。左端が継母とその母。司式枚岡《ひらおか》カトリック教会の司祭の右後ろが著者の父親。右端の青いシャツを着ているのが著者

奈良ハイキングクラブの皆さんと。右から２番目が著者

浩は高校を卒業して家から専門学校へ行っていました。

おばあちゃんは家にいて、留守番や僕の世話やぬいものをしてくれました。お父さんが3か月位入院して、お母さんは前に働いていた幼稚園へ働きに行きました。浩も卒業して会社へ働きに行きました。浩は2年くらいしてから会社をやめました。7月になって浩は京都で働く所が見つかり、家を出て行きました。

去年、僕の32才の誕生日に結婚して今でも京都に住んでいます。夏に赤ちゃんが生まれたので、僕もお祝いをしてあげました。

お母さんは働いて6年目にひじの骨を折りました。それからやめて家でいろんなことをしています。おばあちゃんは2年前の秋に急に亡くなりました。僕は泣きました。おばあちゃんは、いつもがんばりやさんで夜おそくまで起きていました。お母さんはおばあちゃんといつも仲良しだったから、2か月位病気でした。

お母さんとおばあちゃんと、僕と三人で花博やあやめ池や生駒山上遊園地へ遊びに行きました。海洋博も行きました。奈良公園も行きました。とても楽しかったです。家の2階はとうとう僕だけになって、淋しかったけれど、このごろなれてきました。

お父さんと僕は去年の春、教会で洗礼を受けて、神様のこどもになりました。お父さんも長い間、会社で働きました。もうすぐ仕事がおしまいと言っています。あまり、たばこやお酒を飲まないよう、これからもよく食べて、元気でいて下さい。

お父さんとお母さんがいつまでも仲良くして、僕のめんどうをみてくれますよう、お祈りをしています。ここに来て、いろんなことがあったけれど、僕はこの家が大好きです。

ジョギングとマラソン

僕は生駒に引っ越して1年位たってから、お母さんに言われてジョギングをするようになりました。はじめは、ぜんぜん走る意欲がなくてだめだった。僕がいやがってもお母さんは怒って走らされました。僕は何回も、野球の方がいいと言いました。お父さんはいつも無理をせんでええ、と言っていました。お母さんとおばあちゃんは何でも続けなあかんと言って僕を励ましてくれました。

教会の神父様もそう言ってくれました。それで、だんだん少しずつ続けられるようになりました。雨の日は、走らなくてよかったのでうれしかったです。一番辛いのは冬です。仕事から帰った後で暗くなっているので、走るのはいやだった。おばあちゃんとお

マラソン大会に参加する著者（左）

母さんに怠けたらあかん、と言って怒られたので、くじけずに走りました。

初めのコースは犬が2匹出てくるようになったので、変えました。次のコースは、はじめだけお母さんが一緒に行ってくれました。時々走っている人に出会いました。そのうち山の仲間の人達もジョギングをしている人がいました。奈良大仏マラソンに申し込んでいたのに、都合がわるくなって、僕にゆずってくれました。

それで僕は、山のリーダーの人のお世話になって、初めてマラソンの10キロコースに参加して完走出来ました。

大ぜいの人が走って、途中で歩いている人

もいました。坂もあって苦しかったけれど、最後までくじけずに、がんばりました。

お母さんもおばあちゃんもお父さんも、喜んでいました。

体も前より丈夫になって発作もおさまり、起こらなくなりました。仕事を休むこともなくなりました。他のマラソンにも参加して、大仏マラソンも続けています。毎日走るようになって10年以上になります。仕事の日は、５キロ位で、休みの日は約10キロ走っています。

マラソン大会に参加して、最後まで楽しく走れることを感謝しています。今ではお母さんとおばあちゃんに感謝しています。

食べ物をしっかりもらえて感謝しています。

走ることにはまだまだ負けたくありません。

体力をつけて、よりいっそうがんばれる人間になっていきたいと思っています。神様に走れることを、感謝しています。

第４回明日香ひなまつり古代マラソンで走る著者（27歳当時）
昭和63年３月６日

山登り——奈良ハイキングクラブ

お母さんが、生駒広報を見て、清掃登山に行きなさい、と言いました。それは昭和57年6月6日（日）のことでした。

お母さんは用事で行けなかったので、近所の人にお願いして、お弁当も2人分作ってくれて、僕はつれて行ってもらいました。

その時初めて、たくさんの人とごみを拾いながら山へ登りました。後でお母さんは、生駒市役所で聞いて、7月6日（火）の夕方、僕をつれて郡山にある、奈良ハイキングクラブの事務所へ行きました。10人位の人が集まって、何か話していました。リーダーの人がこれから一緒に山へ登りましょうと言ってくれました。

奈良ハイキングクラブの皆さんと。前列左が著者

お母さんは、お願いしますと言って、僕のことを頼んでいました。そして、よかったと言って喜んで帰りました。僕はどうなるのか、不安だった。

8月の日曜日はじめて、壷坂寺と高取城へハイキングに行きました。駅でハイキングクラブの人が僕を待っていてくれました。初めての時は緊張してしんどく感じました。晩になって、お母さんは心配して待っていました。発作は起こらなくてよかった、と言って家の人、3人が

奈良ハイクの皆さんと。著者は最後列右から2番目

ほめてくれました。

それから9月も10月もさそってもらって行ったけれど、山登りはきつくて、たくさん歩くのであまり好きではなかって《ママ》、お母さんに野球の方がいい、と言っていました。お母さんもおばあちゃんも、続けて山登りしていたら、だんだん楽しくなってくるから、がんばりなさい、と言ってくれました。12月から冬の間は行かずに、春になって又行くようになりました。山の仲間の人達も友達になって、楽しく感じるようになりました。いろんな話をしました。

ジョギングしている人達もいてリーダ

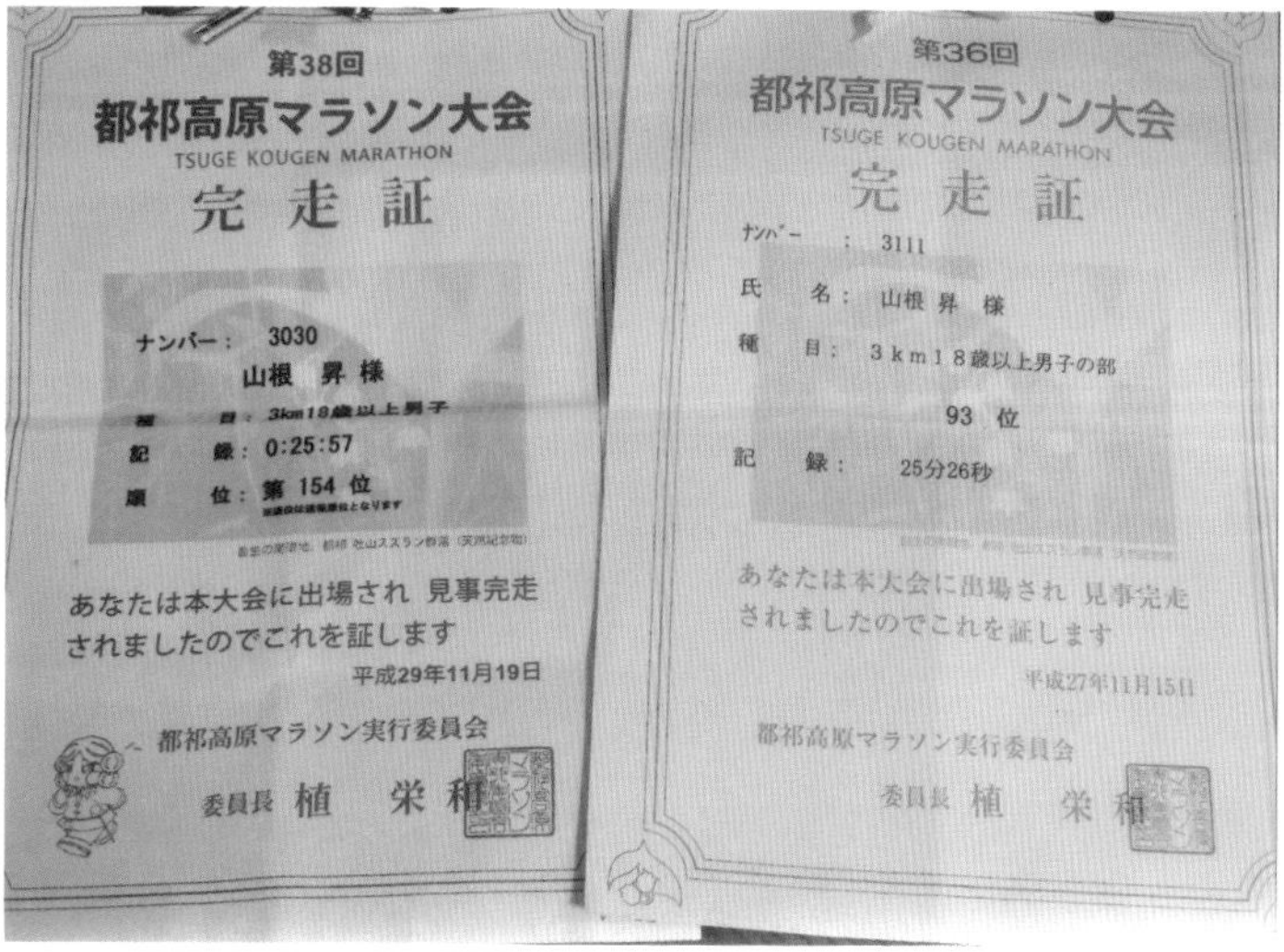

著者が参加したマラソン大会の完走証明書

ーの増田さんは、こんど一緒にマラソン大会に出よう、と言ってくれました。増田さんに連れてもらって、マラソン大会で10キロコースをみんなと一緒に、完走出来て一番うれしかった。

山で一緒に写真をとってもらって、たくさんになりました。

島村さんに山の道具とか、いろんなことを教えてもらいました。

リュックサックも、もらいました。

増田さんに言われて山の作文も書くようになりました。お母さんが忙しい時は、おばあちゃんに見てもらってから、ハイキングクラブの事務所へ送りました。

山登りで、いろんな友達と出会えてうれしく感じます。

今度はどんな山へ行けるかと考えて、毎日自分に負けないよう体力をつけていきたいです。

今の仕事――ホテルの掃除

平成1年の9月の途中から今の仕事場へ行きました。面接の時はお母さんと一緒に行きました。

ホテルはとてもきれいです。それに近いです。50分位で行けます。給食があって、お昼はいろんなものが出ます。

仲間の人と一緒に、とてもおいしく食べられて感謝しています。

仕事の時間は7時から4時です。障害者は3人いて掃除の仕事をしています。玄関や階段のてすりは、しんちゅうで毎日しんちゅう磨きがあります。初めは掃除がへたで上の人からよく怒られました。

お母さんは、いつも仲間の人と仲良くしなさい、と言っています。僕は時々守らないことがありました。Hさんがやめて残念と思います。ホテルでは管理課と宴会とスポーツクラブと竹の家《や》とか、働く人がみんな別々に分かれています。僕たちの掃除は３人でがんばっています。はじめは何をやってもだめだったけれど、少しずつがんばれるようになりました。Tさんが、掃除はえんの下の力持ち、と言われました。心を尽くすように、言われました。自分ではあまり多く出来ないけれど、精一杯がんばっていきたいと思います。

早く何でもきれいに出来るよう、家の中もきれいに出来るよう、努力してきれい好きになれるよう、心を美しくしたいと思います。

みんなが良くしてくれてうれしいです。友達も多く感じます。みんな良い人が多いと感じます。今働ける喜びと、自分が一生懸命することの喜びで、感謝して仕事が出来ます。働けない人のことを思って、もっと今を大事にしていきたいと思います。まだまだ勉強をしなければだめだと思うけれど、自分に負けない体力作りをして、いつまでも健康でいられる自分にしたいと思います　がんばっていきたいと思います。

当時の奈良ロイヤルホテルのスタッフの皆さんと。著者は前列左

このごろうれしいことがありました。ホテルに野球部が出来ました。約20人位でみんなで、ユニホームや道具をそろえました。試合はホテルの近くのグランドで、朝6時から9時くらいまでです。もう3回しました。

僕の休みは月に7日あって、だいたい火曜日ですが、野球する日を休みにしてもらっています。9月にソフトボールの試合があった時、僕は打つのはへただったけれど、守りで高いボールが取れてよかった。僕のチームはぼろ負けだったけれど、又出来る日を楽しみに、がんばります。

2番目のお母さん

お母さんは27年間、幼稚園と保育園で働いたと言っています。もっと若い時は会社でも働いたそうです。

僕のためにお父さんと結婚しました。

お母さんが来てから、家の中が明るくなったと思います。

僕が一番うれしかったことは、自分で出来ることがふえました。病院に薬をもらいに行くこと、定期を買うこと、花に水をあげること、休みの日は洗濯物を干すことと、台所と階段と廊下の掃除です。寒い時、ストーブに灯油を入れます。時々買い物もします。甲子園も一人で行けるようになりました。小遣い帳もつけています。カレンダーに毎

生駒市の新居で（昭和55年頃）。左から継母 久子、父 敏睦、著者

日ジョギングの記録をしています。

お母さんはいつも僕のことをよく見ています。言われたことをちゃんと実行しないといつも怒ります。何でも教えてくれます。特に食べ物に気をつけています。玄米あずきご飯はとてもおいしいです。

休みの日は一緒に僕の好きな、お好み焼きを作ってくれます。

おばあちゃんはいつも僕のパンツや靴下や服をつくろってくれました。お母さんはあまりしません。その代わり家で親子じゅくをしたり、こどもにピアノやエレクトーンを教えています。ボランティアで目の見えないYさんに聖書を読みに行ってあげたり、車椅子の人の家にも行っています。

本が好きで短歌の勉強もしています。

花が好きで、猫のミータローとチビの世話もしています。よく働くがんばりやさんで心がきれいだと思います。

神様が大好きで、土曜日の晩はお父さんと僕と3人で、教会のミサに行きます。

お母さんは日曜日もミサに行って、教会の活動をしています。

お父さんと仲が良いです。

僕はお母さんのことをそんけいしています。

いつもやさしくしてくれて、ありがとうございます。これからも元気で僕のことを、よろしくお願いします。

第28回NHK厚生文化事業団 心身障害福祉賞贈呈式。
著者は前列右から３人目。1994年3月16日

お父さん

僕がはしかの病気で重かった時、お母さんをはげまして、一生懸命看病したと、言っていました。

亡くなったお母さんの病気の時も、お母さんのために何でもしていました。

料理を作るのが得意です。お母さんが出来ない時は、お父さんがしています。

お父さんは36年間、会社で働きました。

今の会社はもうすぐ仕事がなくなる、と言っています。お父さんの好きなことは、囲碁とゴルフと英語と野球とすもうと競馬です。

仕事をやめたら、又一緒にハイキングをしたいです。

後列左が父親、３人目が継母、１番右が著者。
東京の居酒屋にて。1994年3月16日

昇の手紙と小さな手帳のメモ

継母　山根久子

昇の手紙と小さな手帳のメモ書きは令和3年の1月頃見つけました。手紙はそれぞれ古い家計簿に私が添付しておりましたものです。見覚えのある小さな手帳は彼の部屋にありました。初めて僅かな頁を読み、胸がいっぱいになり、涙がこぼれました。

当時は未だ20歳頃の昇だったと思いますが、私の勧めに従って、素直に教会のミサにも同行してくれました。司祭のお説教も本人なりにメモしておりましたことと、体の不調とも戦いながらの記録に胸を打たれ、同時に神様は昇やハンディのある人々に命を与え、特別に愛して下さっているのだと、深く悟ったことでした！（継母　山根久子）

見つかった昇の手帳

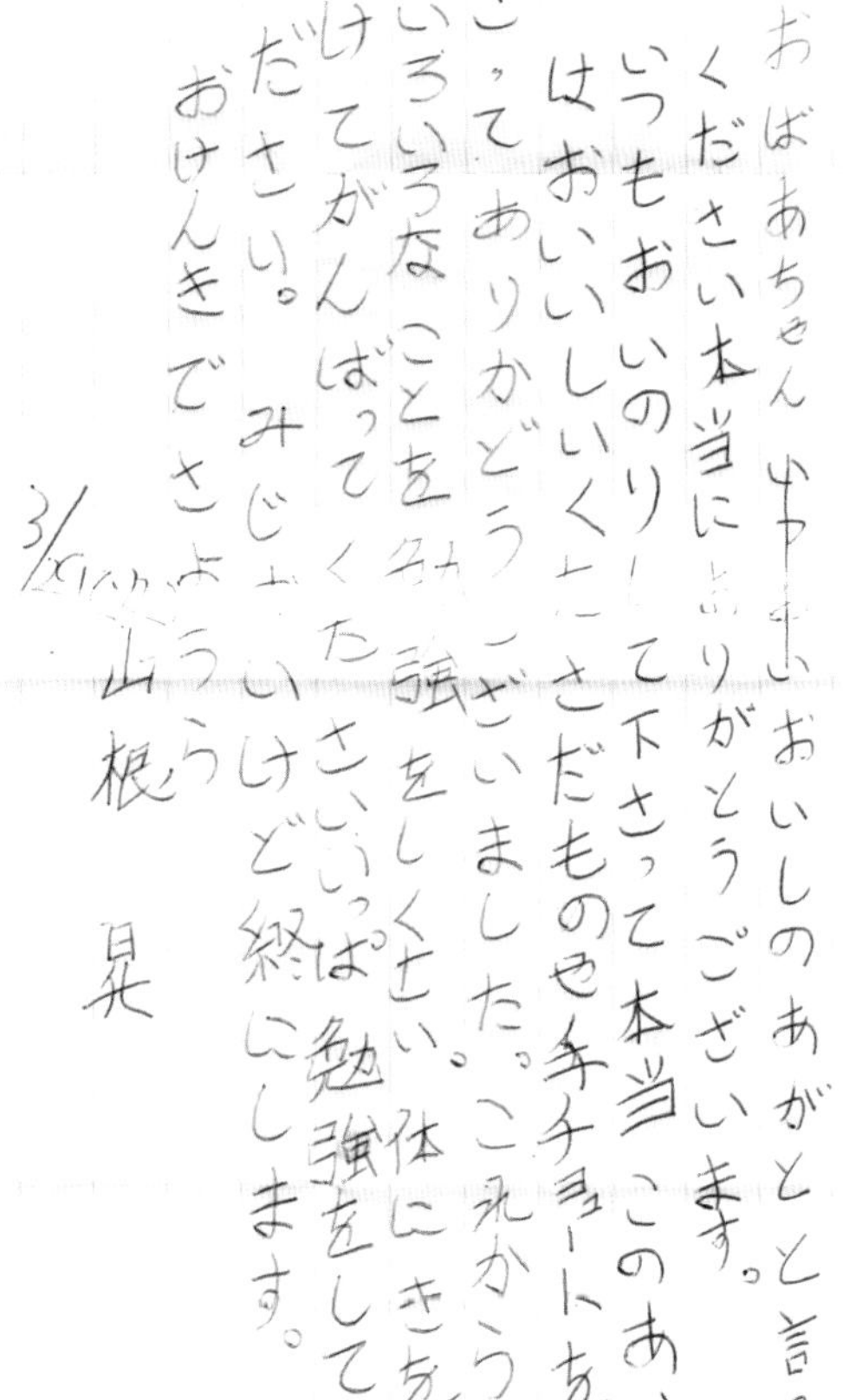
おばあちゃんおいしのあがとと言って
ください本当にありがとうございます。
いつもおいのりして下さって本当このあい
はおいしいくださだものや手チョートをく
さってありかどうございました。これからも
いろいろなことを勉強をしくだい。体にきをつ
けてがんばってくたさいいっぱい勉強をしてく
ださい。みじかいけど終にします。
おけんきでさようなら
3/21
山根　昇

昇が書いた祖母への感謝の手紙

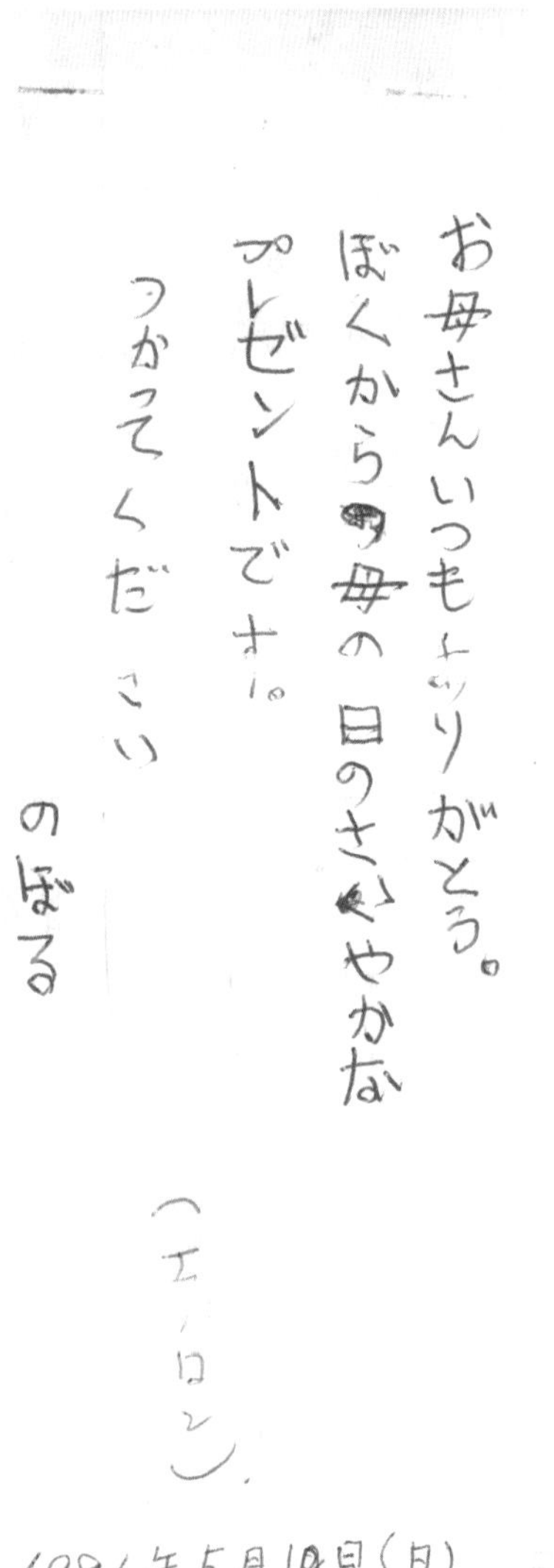
お母さんいつもありがとう。
ぼくから母の日のささやかな
プレゼントです。
つかってください
のぼる
(エプロン)
1981年5月10日(日)

昇が書いた私への手紙

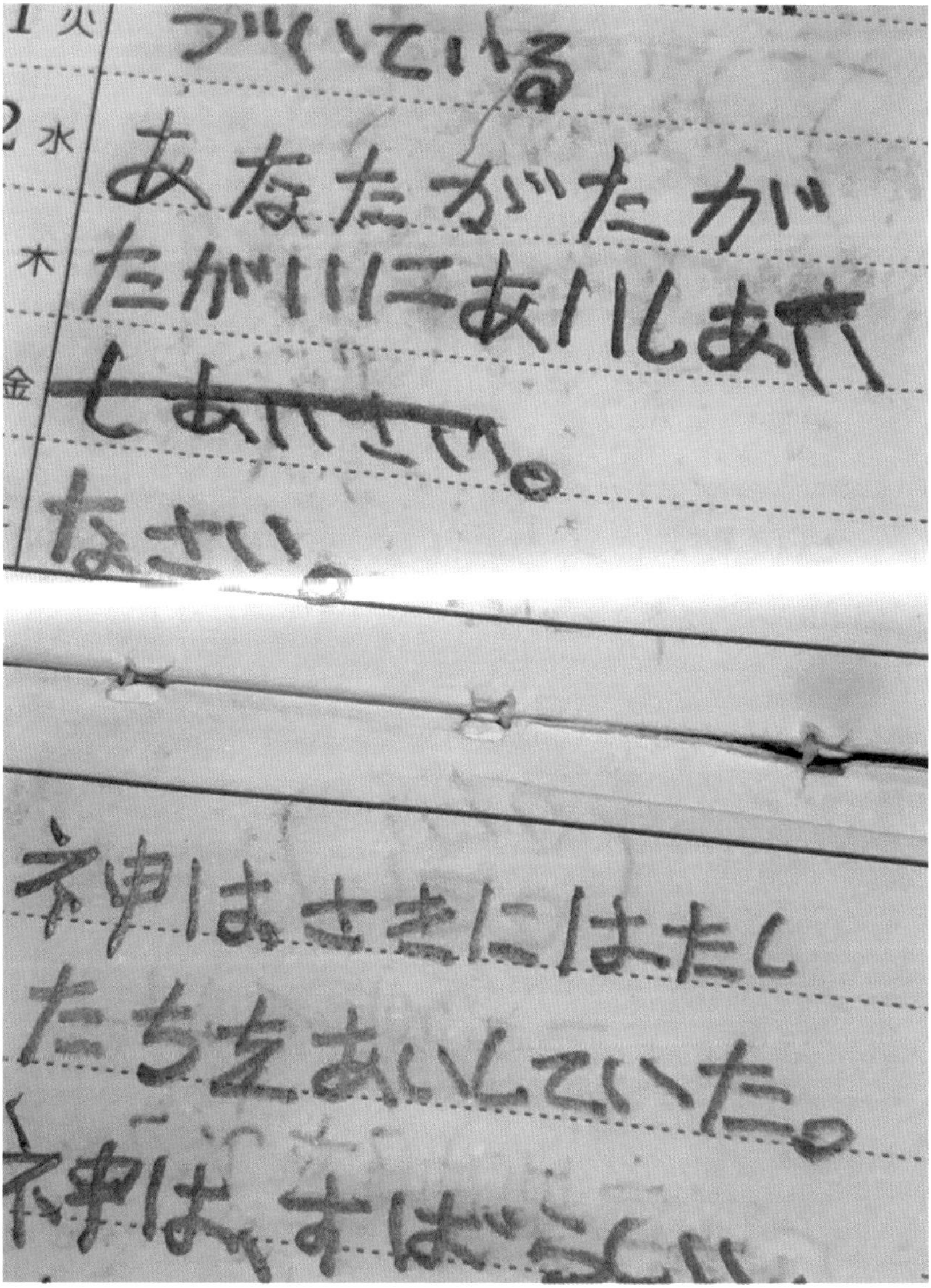

あなたがたは　たがいに　あいしあいなさい
（昇の手帳のメモ　以下同）

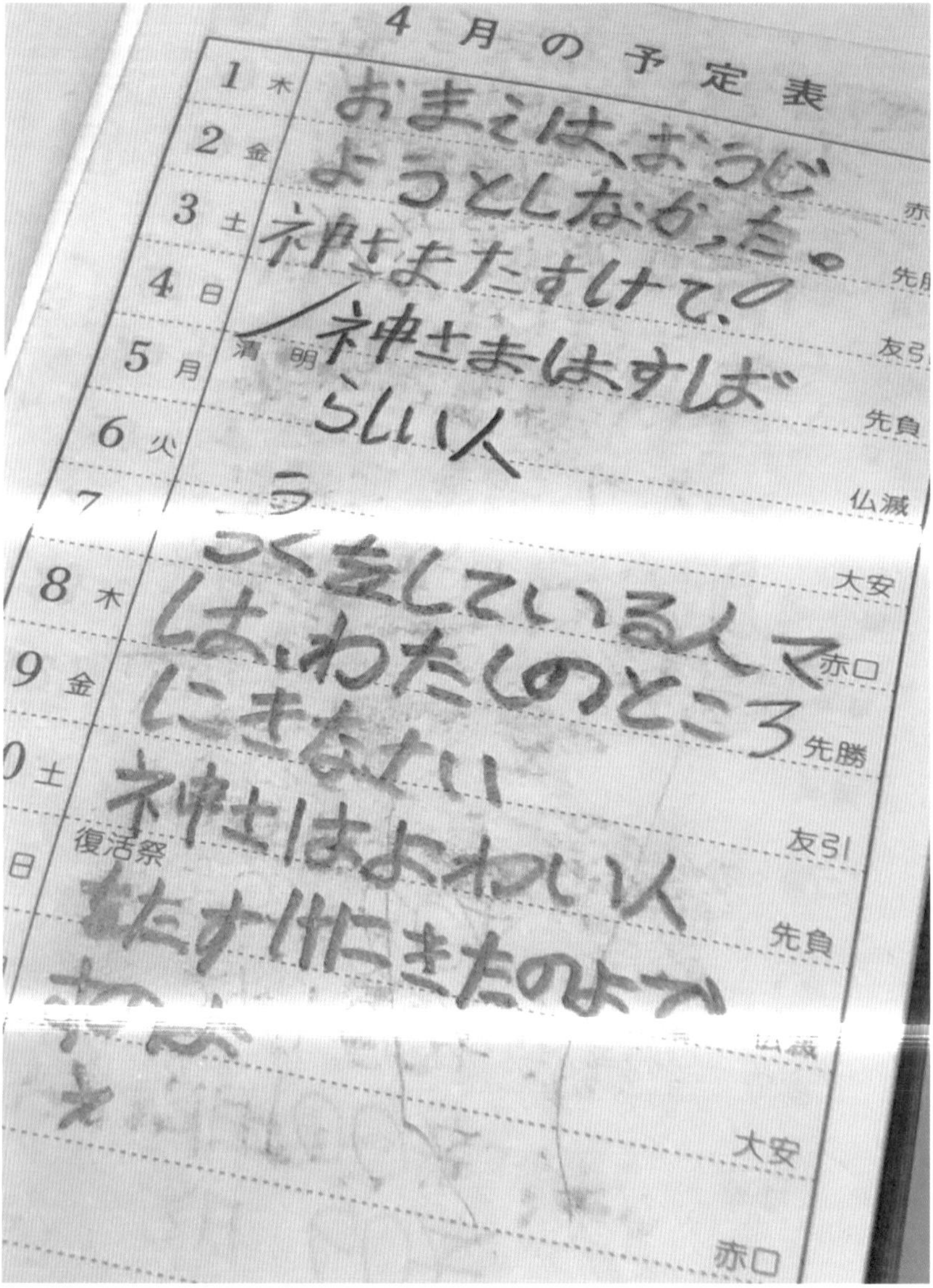

神さまは　よわい人を　たすけに　きたのですよ

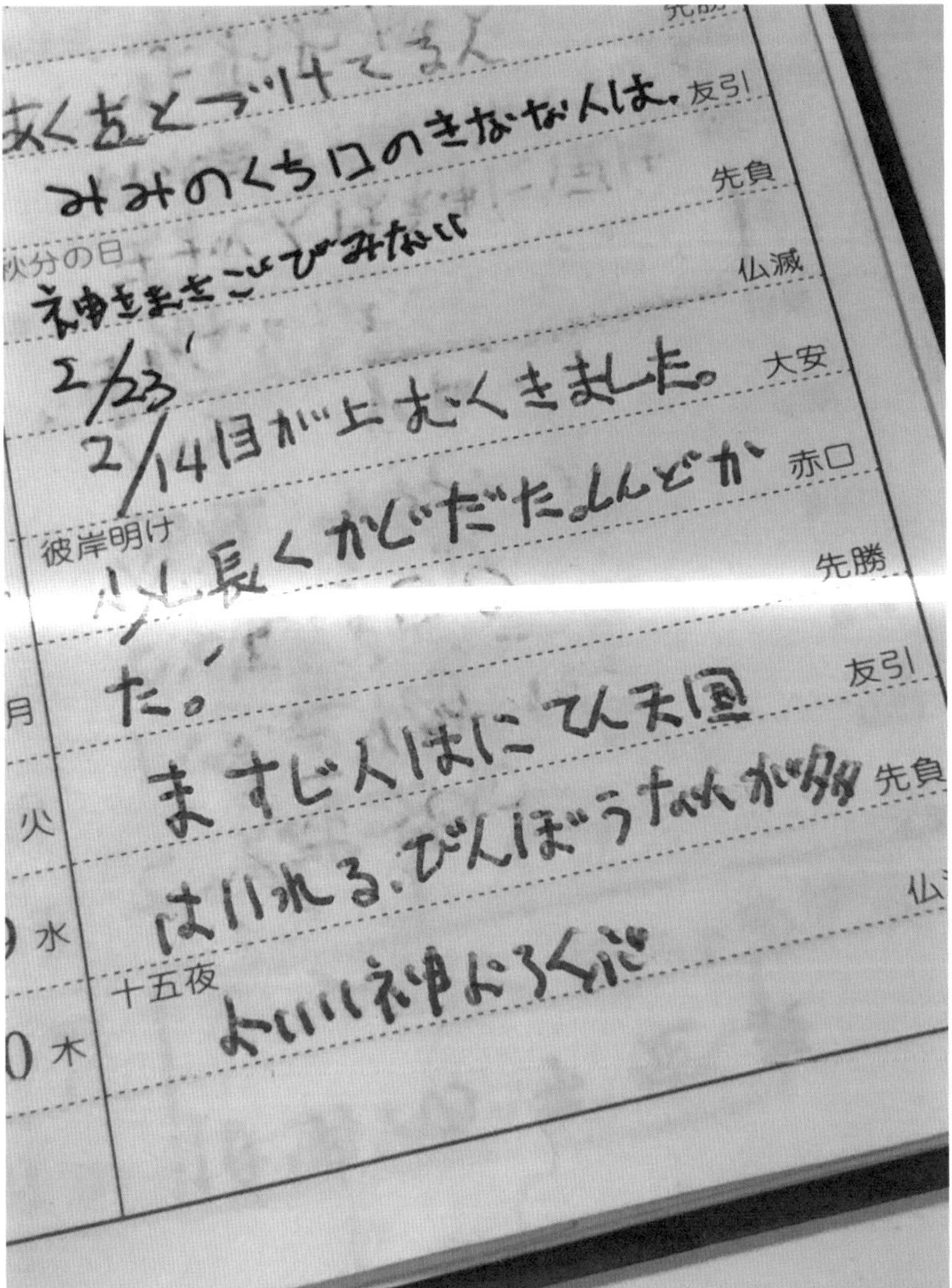

まずしい人は　天国に　はいれる

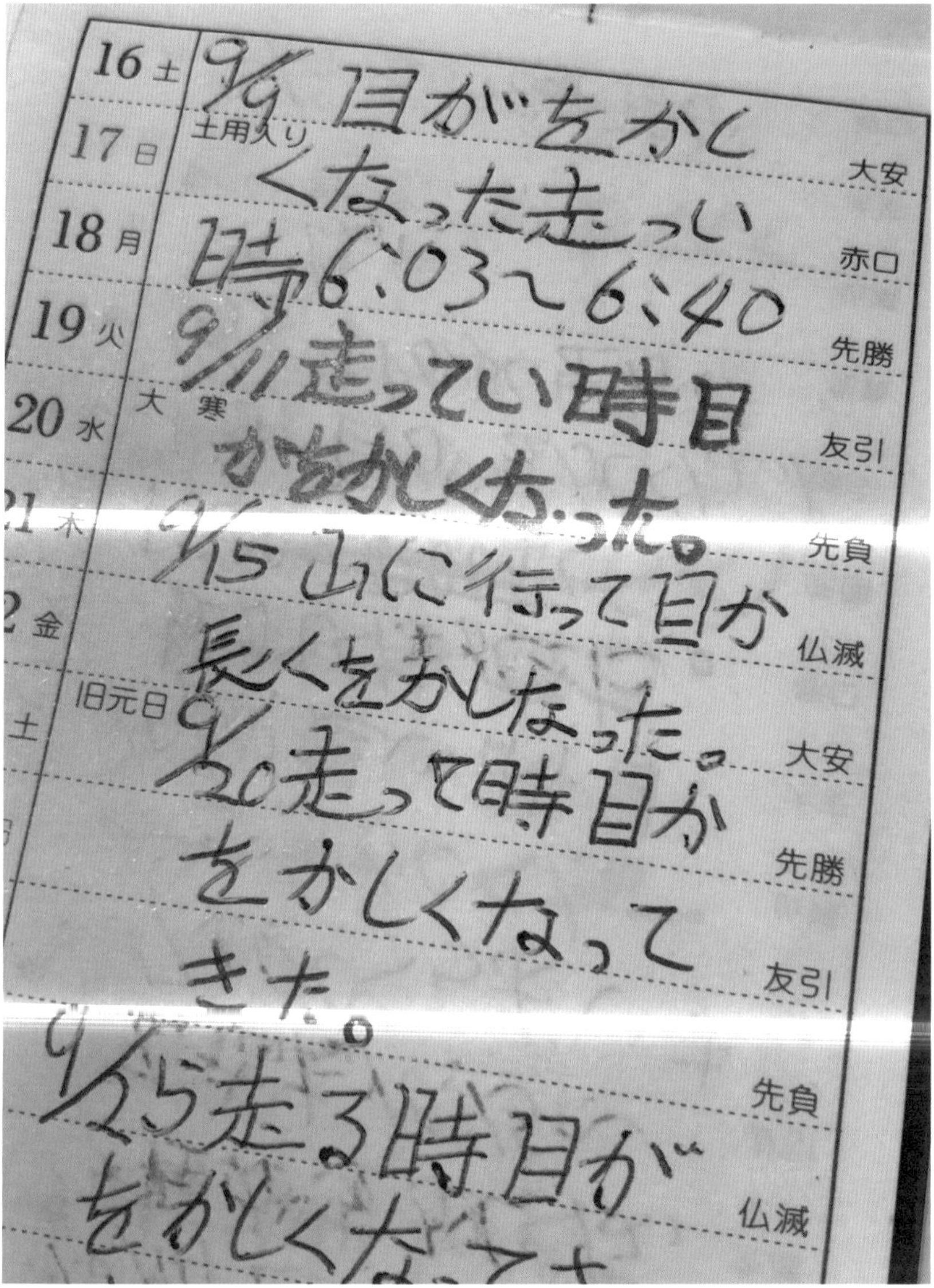
9/9 目がをかしくなった走っい時6:03〜6:40
9/11走ってい時目かをかしくなった。
9/15 山に行って目か長くをかしなった。
9/20走って時目がをかしくなってきた。
9/25走る時目がをかしく

9/11　走っている時　目が　おかしくなった

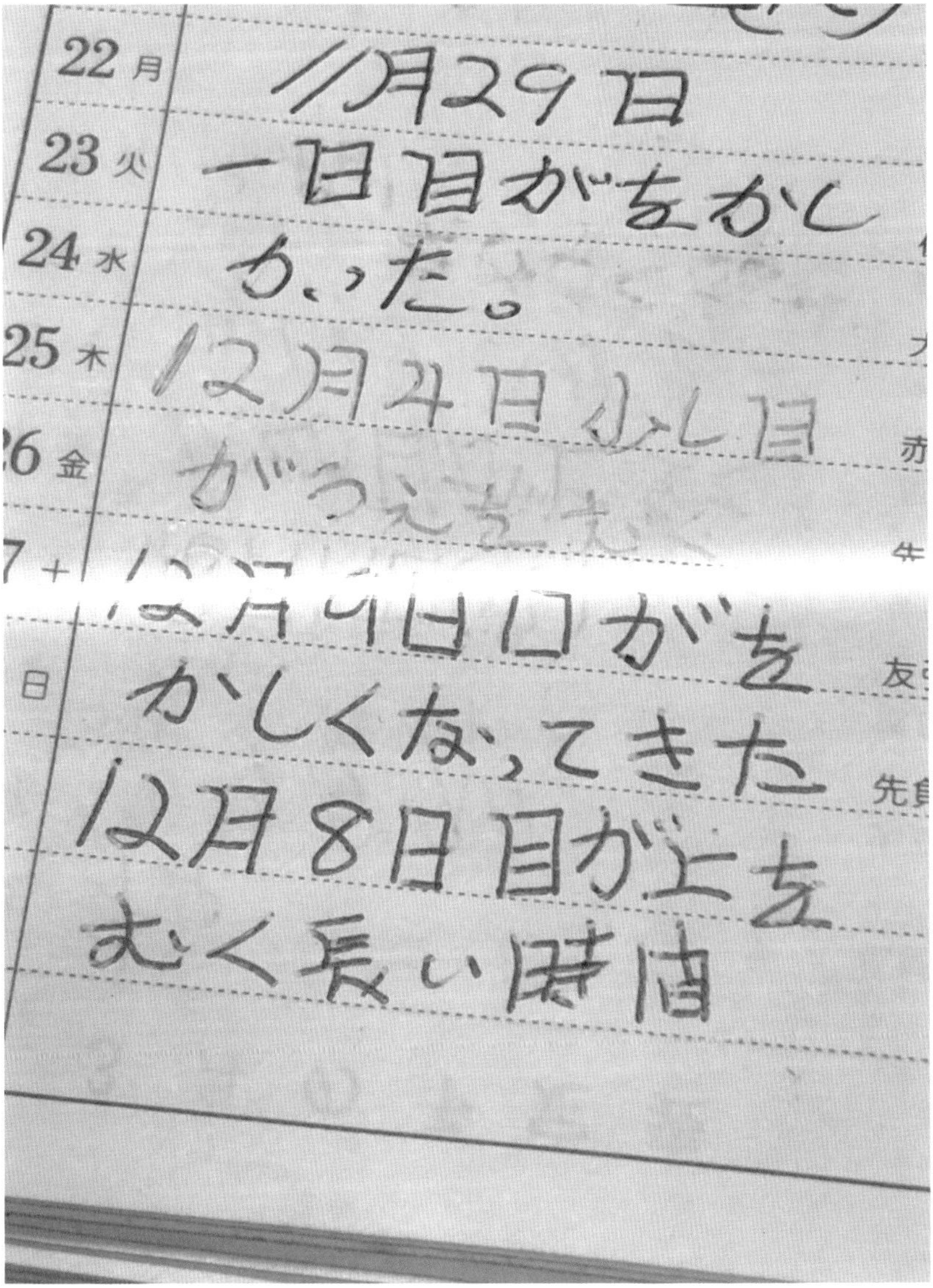

12月8日　目が上をむく　長い時間

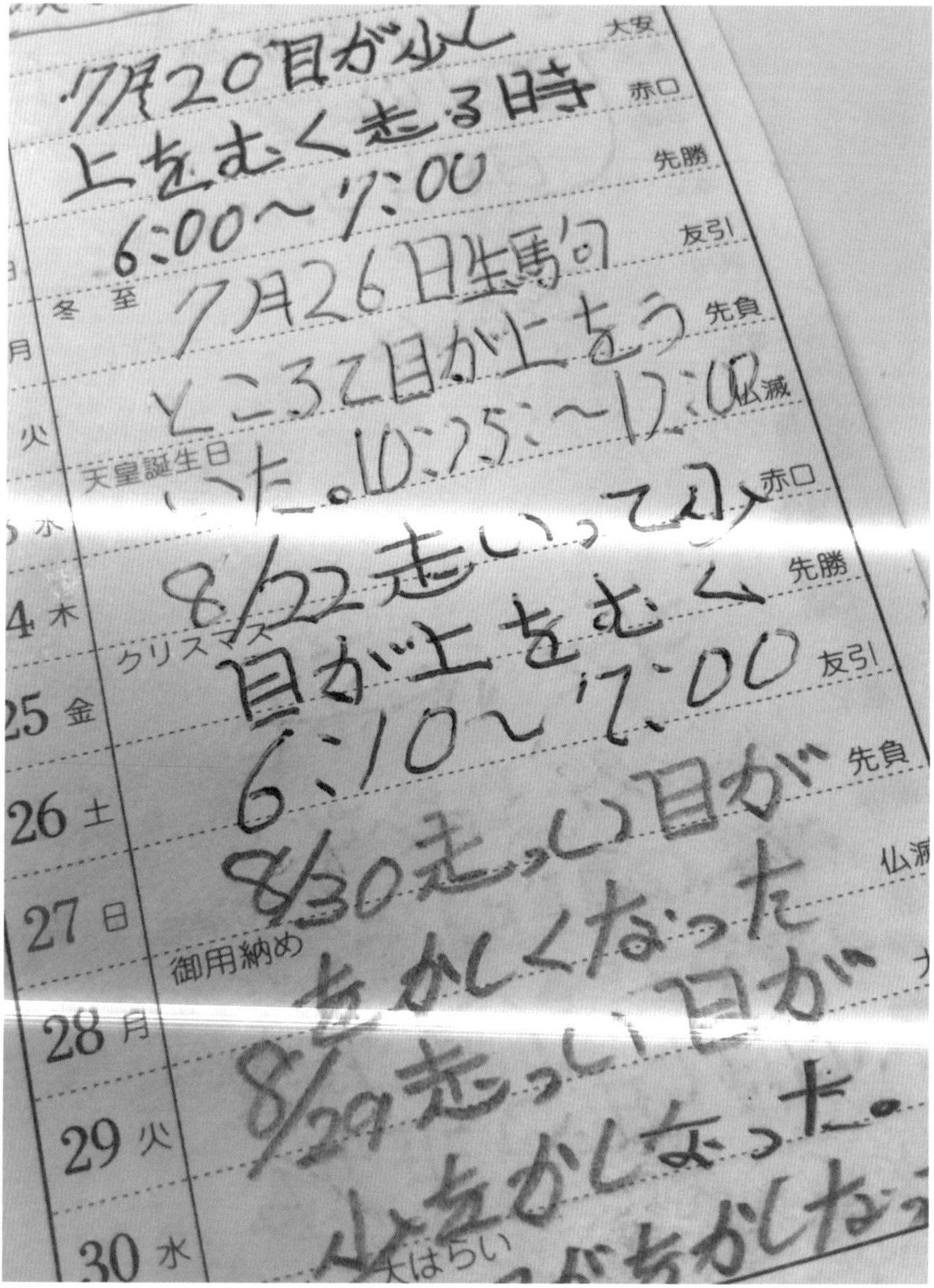

12月22日　走ると　目が上をむく

障害を越えて——僕の青春　その後

社会福祉法人青葉仁会所属
担当スタッフ
堀内伸起

はじめに

本人に「出したい！」という意思があり、最初は本人にどこまで出来るかやってもらいましたが、文章力や集中力などの低下のため二行以上の文章を続けて書いていくことが困難でした。そのため、本人に日記のように日々書いてもらったことに、担当スタッフが現在の山根さんの様子を加えて、本人の気持ちや考えていることが伝わるように代筆させていただきました。（本文中　囲みの部分が山根さんが書いた文章です）

受賞後に生じた変化

障害福祉賞で入選した三十三歳の時が、山根さんにとって仕事でも運動面でも良かった時期でした。その一年後から、能力が徐々に低下していきました。結婚もされましたが、相手との歯車が上手くいかなくなり、四か月ほどで離婚されました。また、うつ状態にもなり、家出や入院を繰り返され、デイケア通所を始められました。

そして、徐々にさまざまな問題行動が起き始めました。まず、紙類（パンフレット等）の収集癖が始まり、父親が亡くなった頃から、外出先から物を持ち帰るようになりました。その後、平成十六年（二〇〇四年）より、現在の入所先である社会福祉法人青葉仁会へ入所することになりました。

現在の様子

・日中の活動――山根さんが作業していること

現在は自然学校班に所属し、平日の五日間働かれています。ブルーベリー畑や田んぼ、茶畑で汗を流しています。野菜も栽培しており、季節や時期によって色々な作業を行っています。山根さんは主に、草刈りなどを中心に活躍されています。山の中にある施設なので、周りが木や草で囲まれており、どんどん山の中に入って行かれることがあります。特に斜面を登って草を刈っていくことが好きで、斜面を登りながら、必要のないところまで草を刈っていることが多々あります。また、雨の日には薪を作っており、他の利用者が機械で割った薪をワイヤーで集めてひとかたまりにまとめる作業もされておられます。冬の時期は、茶畑の再生を行っているため、切った株などを運ぶ仕事をされてます。


『仕事まきいれる仕事がんばります。（まきの仕事を頑張っている）』

『木はこびがばります。（木運びを頑張ります）』

『まきをかきったり木いっぱはこんみました。しんどかた。（薪を切ったり、木をいっぱい運びました。しんどかった）』

『お金ねつけみることがんばる。（お金の値札をつける仕事をがんばる）』
※以前は室内で外注の商品の値札をつける仕事をされているときがありました。

作業中の山根昇さん

施設の作業風景。左端が昇さん

・施設での生活――山根さんがフロアでしていること

施設では、現在山根さんと共同スペースを使い生活されている方が二十五人おられます。定期的にさまざまな事情で部屋替えを行っていますが、基本的に二人部屋で暮らしておられます。生活フロアでも、さまざまな係があり、山根さんは食事の配膳や下膳をされています。まず、食事が出来たことを厨房からスタッフが連絡を受け、スタッフと共に食事を取りに行きます。平日の夕食は厨房の人が十七時半に食事を持ってくるので取りにいく必要はないのですが、十七時頃からエプロンを着け、「行く？」と笑いながらスタッフに聞いてこられます。下膳は毎回食事が終わってみんながある程度片付けた後で、スタッフと厨房に返しに行きますが、山根さんはサッと早くに食べ終わり、多くの人が食べている間に「もう行く？」と何度も聞いてこられます。

また朝食後の下膳の後、山根さんは出勤までの間に食事を食べたフロアの掃除機がけを行ってくれます。テーブルの下も椅子をよけてザッザザッとかけてくれます。やはり、昔家で教えられたことが今でも記憶に残っているのか、掃除機がけや洗濯を熱心にしようとされます。洗濯に関してはまとめてスタッフが行っているため、自分でする必要はないのですが、自立した方のためにフロアに洗濯機を置いているため、山根さんは洗濯をする必要の無い綺麗な衣類を洗濯されていることがあります。


『自分の目標そうじせんたく。』

『洗濯をきすことがんはろう。（洗濯をすること頑張ろう）』

『そうじき自分へやをそうじがんばってすことる。（掃除機で自分の部屋を掃除することをがんばる）』

・余暇活動に積極的に参加――山根さんがしたいこと

施設での余暇については、毎月行っているグループ外出に参加されています。やはり、外出で施設外に出て行くことは開放感もあり、毎月楽しみにされています。また、外出する時は昼食を外で食べることになるので、食べるのが好きな山根さんにとっては大切な行事になっています。食べ放題などに行ったときは、自分の食べたい物を一種類ずつたくさん取って食べておられます。そして、年に一度か二度、一泊二日の旅行に参加されます。夏だと川や湖、海へ行ったり、冬だと雪山でスキーや雪遊びを楽しまれます。また、これも年に一度か二度ですが、山根さんはガイドヘルプを利用して食事や生活品（衣類など）を買いに行きます。

施設では週末ごとにいろんなイベントを行っています。利用者の意思を尊重する意味でも、参加は自由ですが、山根さんはどんなイベントにも毎回積極的に参加されています。そして、毎年、都祁《つげ》マラソンの三キロの部に参加されています。時々、他の参加者と昼休み練習を行っています。山根さんはあまり積極的には練習に参加されませんが、当日になると毎日練習されている方より早く走られ、昔の面影を感じられます。

入所してから義母のもとには、お互いの関係や高齢になったこともあり、一年のうちでお盆とお正月に帰られています。やはり、山根さんは家に帰るのが一番の楽しみなようで、自分でいつ頃帰るかわかっていながら、毎日のように「ぼくいつ帰省？」と聞いてこられます。今でも、施設のバスで駅まで行き、そこからは自分で電車に乗って家まで帰られています。

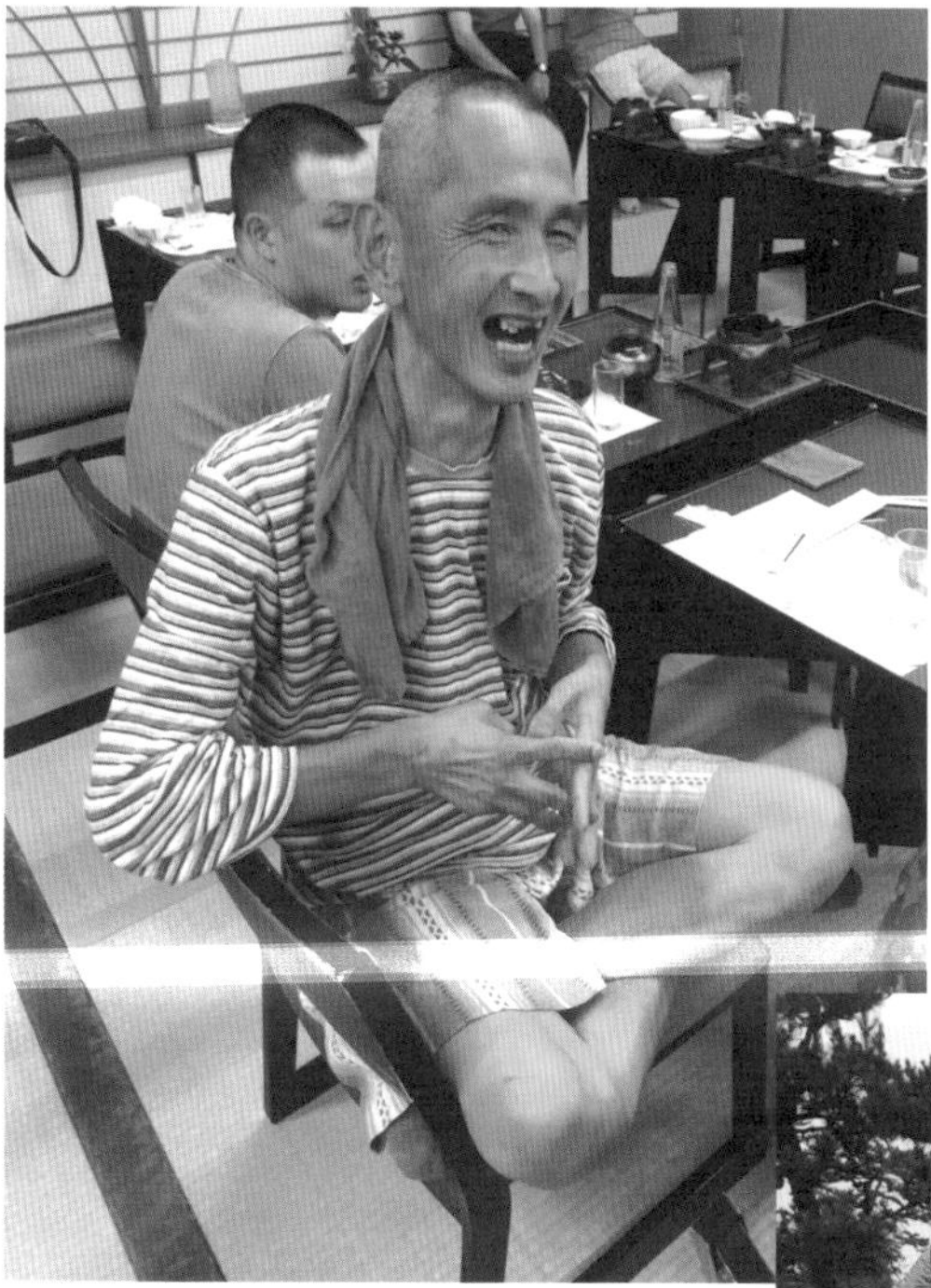

最近の山根昇さん（旅行先の宿で）

城崎・京丹後への旅行で（令和元年7月）

『りよこにいくことたべに行っくこと。（旅行に行くことと食べに行くこと）』
『すたふ話しをしていしょく食べに行っきた久子話してほい思います。よろしお願おします。（スタッフさんにお話しをしてもらって、お母さんと食事を食べに行って話しがしたいと思っています。よろしくお願いします）』

最後に

前回入選した頃とは能力面や精神面、行動面とさまざまな部分で大きな変化が起きました。本人にとっては今も嫌なことはありますが、毎日笑顔を絶やさず、いろいろな人たちと関わりの尽きない生活を送っておられ、楽しい日々を送れていると思います。これからも彼は〝山根昇の生きてきた道〟を刻んでいかれると思います。

夫・敏睦さんの死後、毎年昇さんに会いに来てくれる叔父・啓靖さん（左端）と昇さんと久子さん（施設「あおはにの家」にて）

あとがき

令和3年3月吉日　継母・山根久子

共に暮らし始めて以来の家族を営みますと先ず、次男が専門学校卒業後、最初に就職しておりましたY商事会社を2年間で辞めましたので、7年後には第2の仕事先のため京都方面へ巣立って行きました。やがて結婚、一児の父親となりました、私の母は同居後11年後に78歳、脳溢血で身罷《みまか》り、その11年後、夫が、肺がんで72歳で旅立ちました。令和3年の5月には19年忌となります。

私と昇の暮らしは22年間程でしたが、その間、昇の存在は家族の重荷であり、気苦労が絶えませんでした。とはいえ、私自身「この子が居れへんかったらトットさん（夫・敏睦の愛称）とも結婚してへんかったな～……神様の思し召しやなー」と幾度か思いました。母は母で昇の面倒をみてくれ、家事も助けてくれました。みんなが彼を憐れに思

枚岡《ひらおか》カトリック教会行事後の集合写真。息子の昇は最後列左から３人目と４人目の前。夫は右側幕前の左。中央部右の水色の服の女性の肩に手を添えているのが私

い、いとおしみ、悩みました。昇は何回も私に「おばあちゃんいつもひとり〜？なんでひとり〜？　ともだちいてへんの〜？」と聞いて呉れるのでした。麻疹以前までは親の愛を存分に受け、2歳頃の可愛い弟にも恵まれて育ちましたので、根はとても優しくて賢いお子だったことが考えられました。母の教会での葬儀の時には座席から突然立ち上がり激しく泣きました。本人は又座りましたが、私は一瞬、胸を打たれました。ご覧になった参列者の方々も驚かれたことでしょう。

父親の旅立ちの時も急を要しました。入院即ＩＣＵへとなり、当時国立松籟《しょうらい》荘

のデイケアに通っていた昇を、最後まで「昇は？　昇は？」と気遣っておりました。昇の場合入室がはばかられていましたので、「うん、元気にしているよ」としか応えられませんでした。一目でも会わせてあげたかったです。

２００４年1月、生駒市の福祉支援課のお世話のお陰で、奈良市に所在する障害者施設「あおはにの家」に入所させて頂きました。そこは奈良駅より車で小一時間程度、山に囲まれた自然豊かな高台に在ります。

今年は創立34年目ですが、入所者、通所者さんを合わせますと２７０人余りの方たちがお世話になっています。施設の理事長さんはじめ、役員さん方、大勢のスタッフの方々が一丸となって利用者さんを大切にして下さっている所です。

２０１５年12月に施設の昇の指導員の堀内伸起さんが昇を伴って、一冊の本と金メダルを届けて下さいました。かなりずっしりと重い本で、「１９６６～２０１５　障害福祉賞50年～受賞者のその後～『私の生きてきた道　50のものがたり』」と題された、NHK厚生文化事業団発行の書籍だったのです！　驚きと共に胸が詰まり昇の頁を読んで泣きました。先ずは亡き先妻と夫、私の実母へ報告とお礼を申しました。神様にも。

今回は特にＮＨＫさんの追跡調査と「あおはに」さんと堀内指導員さんのご協力の賜物でした。そして恵まれた昇へ、「おめでとう！　よく頑張ったね、ありがとう！」と云いました。これまで様々な立場で係わって下さった方々に心からお礼を申し上げたかったのですが、追われる様な暮らしの中で叶いませんでした。せめてこの紙面の中でお許しと御礼を申し上げます。

昇と係わった人達――実母18年間――は写真でしかお会いしていませんが、その姉様によりますと、昇の障害後は外出を好まれず性格も暗くなった、とお聞き致しました。いずれ、あの世でお会い出来るのを楽しみにしています。

父親――42年間――仕事（外運関係）にも、趣味（英語・囲碁・麻雀・ゴルフ）にもフアイトマンで、明るく、誰にでも好かれる人でした。昇の障害は言語・会話・咀嚼・嚥下困難のみならず、脳の損傷は手先にまで及んでいるようです。食べ物は３口目程で飲み込んでしまいます。そのため父親は彼の食卓の前に「亀を置いたらええ」と云ったり、「ニワトリ飼うたら昇の食べこぼしを啄《つい》ばんで呉れるやろ」と昇の他を笑わすのでした。彼のことを最も愛した人でした。様々な場面を思い出しますと今でも泣けてきます。

次に昇の経過を簡単に述べておきます。麻疹後は朝晩、てんかん発作の薬を常用しています。発作が起こると、眼球が上にあがり舌が硬直するようです。とても痛いらしく、たまにしか起こらないのが救いでした。奈良ハイキングクラブに入会後、10年余りは年に数回のハイキングに連れて頂き一度も発作を起こしませんでした。十数人前後の皆様方の温かさが今も身に染みています。彼は昨年の10月に還暦を迎えましたが、それまで胃病にもならず、腹痛にもならないのは不思議なことです。

もう昔のことになりましたが、転居後の1年間の休日には、夫と私の元職場の方々を交互に招き、楽しく鍋を囲みました。二人の息子達が少しでも人馴れして欲しかったからです。夫の在職中は仕事の関係上不意の来客も多く、時には泊まって行かれる方も珍しくなく、私は喜んで接待させて頂きましたが、次男と母は陰で「かなんなー」とこぼしていたようです。

私は母の死後、地域の奉仕活動、その他で多忙でした。奉仕活動の一つに、所属グループ「笑みの会」から2人で車椅子の女性の外出介助が毎週あり、夫も退職後は私に代わって参加し、時には昇にも参加させました。

その頃、昇も彼なりに空き缶拾いをして市のマークを集めていた時期もあったのです。次に自宅から十数分の新店舗に精神障害者のグループ「H作業所」が開店し、それに伴い夫の協力を得てメンバーさん方の為にわが家で100円ランチを始めました。毎週金曜日（1回のみ休み）、お代わり自由で20人分を目標に、7年8ヶ月の間、喜んで下さるメンバーさんのために私達2人も楽しみ乍ら喜んで作らせて頂きました。始めの頃はメニューを2人で考えていましたが、それよりも皆さんの食べたいメニューを話し合い、お互いに温かいランチタイムとなりました。

忙しい親とはうらはらに昇はもっとかまって欲しかったのだと思います。駅では定期の申し込み用紙を、スーパーでは広告やチラシの紙類をたくさん集めては持ち帰ってきました。またそれは、父親の死後になっておりましたが、デイケアでお世話になっておりました国立松籟荘の実習生の方が丹精込めて制作された大きな紙芝居や、カラオケボックスの目次の本までに及び、そのつどお詫びと謝罪に行きました。他にも、これは父親の存命中でしたが、昇は家出も2〜3回試みました。初回は勤務先のホテルの客室を目指し、次は大阪市内の何処かで、連絡して来られたのが税務署で、父親が難儀して迎えに行きました。その翌日、奈良県下の下市精神病院に3人で行きました。昇はタクシーを降りたとたん逃げ出しましたので、ドライバーさんが必死で追いかけて捕まえて下さった場面もありました。そこに2ヶ月程入院してお世話になり、次に国立松籟荘に入院とデイケアでお世話になりました。親への反抗は本人なりの自己主張もあれば、自立もしたかったのだと思われます。

父親は度々「わしは1人では昇をようみんで」と申して居りましたが、「そんなん云うたら私もやー」と返していたのですが、「それやったら長生きしてやー」と云わなかった事が悔やまれます。昇のことでしか涙を見せなかった夫――「トットサーン　ゴメンネー　ノボルノコトモウチョット見トキタイカラ　マダ呼バントイテネー！」と近年は常日頃願っております。

ところで昇は自分の物を勝手に捨てる癖がありました。電卓が出始めました頃、今よりかなり高価でしたが、父親が私と昇に一つずつ取引先から買ってきてくれました。それで早速小遣い帳を教えながら、長年付けさせていたのですが、その3冊と、本人の山登りの体験作文が掲載された「奈良ハイキングクラブ誌」数十冊、参加したマラソンの

昇が参加したマラソン大会のゼッケン

二十数回分のゼッケン、式服他を捨てておりました。それらを入れていたからっぽになった大きなかばんのみが警察に届けられて居りました。幸いにゼッケンだけは家の2階の本人のゴミ箱に捨てられていましたので拾って、本人に見つからぬようになおしたのですが、長年見つかりませんでした。今年2月の始め、夢の中で見つけましたので、喜んで実際に捜したのですが、夢だったことに気づきました。ところが2月8日に小包配達人さんが来られて、玄関の下駄箱の横に置いているダンボールのお駄賃箱の底に黄色い布袋が見えました。配達人さんに駄菓子を一つ差し上げて帰られました後に、その黄色い布袋を開けて見ますとなんとゼッケンが出てきたのです！　もう嬉しくて、思

笑顔の昇

わず「神様！　有難う！」と申しました。2月8日は何かの日だったと思い、そうだ、夫の誕生日でした。今度は夫にも「嬉しいよ、ありがとうこれからも見守っててね！　と頼みました。その古いゼッケンプラス「あおはに」さんから参加させてもらった新しいゼッケンも、昇が毎回仲間の方々からも声を掛けられ、励まされ、最後まで頑張って完走出来た大切な「証し」なのです！　同時に家族の喜びと誇りでもありました。昇のことではまだまだ悲喜こもごも有りますが、後は心に納めてこの辺で終わらせて頂きます。

長くなりましたが、本当にありがとうございました。

や——やればできる
ま——まじめにとりくみ
ね——ねついをもって
の——のぞみをいだき
ぼ——ぼくのじんせい
る——るいせきとなれ

障害をのりこえて——僕の青春

二〇二一年六月三十日発行

著　者　山　根　昇
発行者　福　元　満　治
発行所　石　風　社
福岡市中央区渡辺通二—三—二十四
電　話　〇九二（七一四）四八三八
ＦＡＸ　〇九二（七二五）三四四〇
http://sekifusha.com/

印刷製本　シナノパブリッシングプレス

＊表示価格は本体価格。定価は本体価格プラス税です。

ながのひでこ［作］
とうさんかあさん
＊絵本　在庫僅少

第一回日本の絵本賞文部大臣奨励賞受賞　「とうさん、かあさん、聞かせて、子どものころのはなし」。子どものみずみずしい好奇心が広げる、素朴であったかい世界。ロングセラーとなった長野ワールドの原点、待望の新装復刊
【2刷】1400円

そえじま良子［文］　そえじま葉［絵］
たまじいちゃん
＊絵本

第三回家族のきずな絵本コンテスト優秀賞　こどもには魂（たましい）が見えるのだ！　亡くなったおじいちゃんが魂になって、てくてくてくと四十九日間の旅をします。「さすが奈良！　これぞほとけマンダラ」（長野ヒデ子氏）
1300円

ごとうひろし［文］　なすまさひこ［絵］
なんでバイバイするとやか？
＊絵本

特別支援学校に通う中学二年生てつお君は、いつもバイバイしながらよってくる。「なんでバイバイするとやか？」と小学三年生のきんじ君。表と裏の二つの表紙から始まる二つのストーリー。みずみずしい心と心が出会う「魔法の絵本」

【4刷】1500円

のえみ［作］
ちがうものをみている
＊漫画

特別支援教育に携ってきた著者が、子どもたちの生き生きとした日常を、それぞれの子どもたちの目線で描く。この子どもたちを知れば、世界はもっとゆたかになれる。――ちがうものが見えるって、すごくない!?　韓国でも翻訳出版
1200円

農中茂徳
だけど　だいじょうぶ　「特別支援」の現場から

三池の炭鉱社宅で育った少年が「特別支援」学校の教員になった。「障害」のある子どもたちと、こんずほぐれつ、心を通わせていった一教員の実践と思考の軌跡――「我有り、ゆえに我思う」。『三池炭鉱　宮原社宅の少年』のもう一つの自伝
1800円

内田良介
子どもたちの問題　家族の力

不登校、非行、虐待、性的虐待、発達障害、思春期危機――子どもたちが抱えたさまざまな問題に大人と家族はどう向き合ったか。長年の児童相談所勤務を経て、スクールカウンセラーを務める著者がまとめた子どもと家族の物語
2000円

＊読者の皆様へ　小社出版物が店頭にない場合は「地方・小出版流通センター扱」か「日販扱」とご指定の上最寄りの書店にご注文下さい。なお、お急ぎの場合は直接小社宛ご注文下されば、代金後払いにてご送本致します（送料は不要です）。